하루 10분 서술형 / 문장제 학습지

수학 독해

P4 모양과 규칙
6세~8세

Creative to Math
씨투엠

수학독해 : 수학을 스스로 읽고 해결하다

객관식이나 간단한 단답형 문제는 자신 있는데 긴 문장이나 풀이 과정을 쓰라는 문제는 어려워하는 아이들이 있어요. 빠르고 정확하게 연산하고 교과 응용문제까지도 곧잘 풀어내지만, 문제 속 상황이 약간만 복잡해지면 문제를 풀려고도 하지 않는 아이들도 많아요. 이러한 아이들에게 부족한 것은 연산 능력이나 문제 해결력보다는 독해력과 표현력입니다. 특히 수학적 텍스트를 이해하고 표현하는 능력, 즉 수학 독해력이지요.

요즘 아이들의 독해력이 약해진 가장 큰 이유는 과거에 비해 이야기를 만나는 방식이 다양해졌기 때문이에요. 예전에는 대부분 말이나 글로써만 이야기를 접했어요. 텍스트 위주로 여러 가지 사건을 간접 체험하고, 머릿 속으로 상황을 그려내는 훈련이 자연스럽게 이루어졌지요. 반면 요즘 아이들은 글보다도 TV나 스마트폰 등 영상매체에 훨씬 빨리, 자주 노출되기에 글을 통해 상상을 할 필요가 점점 없어지게 되었습니다.

그렇다고 아이들에게 어렸을 때부터 영화나 애니메이션을 못 보게 하고 책만 읽게 하는 것은 바람직하지 않고, 가능하지도 않아요. 시각 매체는 그 자체로 많은 장점이 있기 때문에 지금의 아이들은 예전 세대에 비해 이미지에 대한 이해력과 적용력이 매우 뛰어나답니다. 문제는 아직까지 모든 학습과 평가 방식이 여전히 텍스트 위주이기 때문에 지금도 아이들에게 독해력이 중요하다는 점이에요. 그래서 저희는 영상 매체에는 익숙하지만 말이나 글에는 약한 아이들을 위한 새로운 수학 독해력 향상 프로그램인 씨투엠 수학독해를 기획하게 되었어요.

씨투엠 수학독해는 기존 문장제/서술형 교재들보다 더욱 쉽고 간단한 학습법을 보여주려 해요. 문제에 있는 문장과 표현 하나하나마다 따로 접근하여 아이들이 어려워하는 포인트를 찾고, 각 포인트마다 직관적인 활동을 통해 독해력과 표현력을 차근차근 끌어올리려고 합니다. 또한 문제 이해와 풀이 서술 과정을 단계별로 세세하게 나누어 문장제, 서술형 문제를 부담 없이 체계적으로 연습할 수 있어요. 새로운 문장제 학습법인 씨투엠 수학독해가 문장제 문제에 특히 어려움을 겪고 있거나 앞으로 서술형 문제를 좀 더 잘 대비하고 싶은 아이들에게 큰 도움이 될 것이라 자신합니다.

수학독해의 구성과 특징

- 매일 부담없이 2쪽씩, 하루 10분 문장제 학습
- 매주 5일간 단계별 활동, 6일차는 중요 문장제 확인학습
- 5회분의 진단평가로 테스트 및 복습

주차별 구성

일일학습
꼬마 수학자들의
간단한 팁과 함께
매일 새롭게 만나는
단계별 문장제 활동

확인학습
중요 문장제 활동을
다시 한번 확인하며
주차 학습 마무리

1주차	1일	2일	3일	4일	5일	확인학습
	6쪽 ~ 7쪽	8쪽 ~ 9쪽	10쪽 ~ 11쪽	12쪽 ~ 13쪽	14쪽 ~ 15쪽	16쪽 ~ 18쪽

2주차	1일	2일	3일	4일	5일	확인학습
	20쪽 ~ 21쪽	22쪽 ~ 23쪽	24쪽 ~ 25쪽	26쪽 ~ 27쪽	28쪽 ~ 29쪽	30쪽 ~ 32쪽

3주차	1일	2일	3일	4일	5일	확인학습
	34쪽 ~ 35쪽	36쪽 ~ 37쪽	38쪽 ~ 39쪽	40쪽 ~ 41쪽	42쪽 ~ 43쪽	44쪽 ~ 46쪽

4주차	1일	2일	3일	4일	5일	확인학습
	48쪽 ~ 49쪽	50쪽 ~ 51쪽	52쪽 ~ 53쪽	54쪽 ~ 55쪽	56쪽 ~ 57쪽	58쪽 ~ 60쪽

진단평가 구성

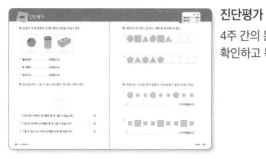

진단평가
4주 간의 문장제 학습에서 부족한 부분을
확인하고 복습하기 위한 자가 진단 테스트

진단평가	1회	2회	3회	4회	5회
	62쪽 ~ 63쪽	64쪽 ~ 65쪽	66쪽 ~ 67쪽	68쪽 ~ 69쪽	70쪽 ~ 71쪽

이 책의 차례

1주차

입체도형

✿ 왼쪽과 같은 모양을 찾아 ○표 하세요.

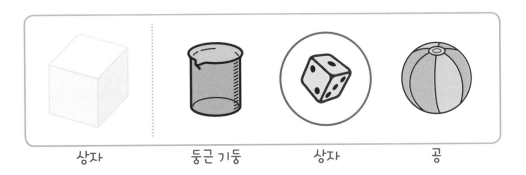

상자   둥근 기둥   상자   공

①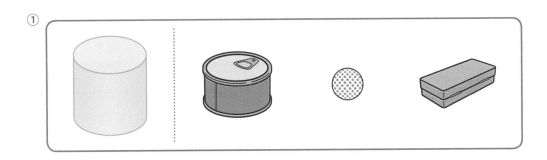

②

③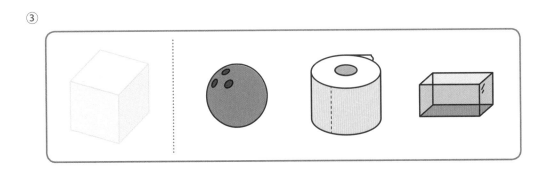

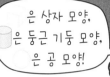
🌸 그림을 보고 밑줄친 곳에 알맞은 말을 써넣으세요.

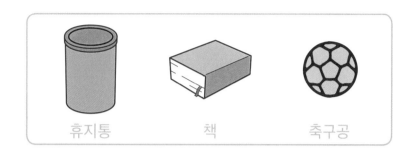

| 휴지통 | 책 | 축구공 |

상자 모양인 것은 ___책___ 입니다.

① 둥근 기둥 모양인 것은 _____ 입니다.

② 공 모양인 것은 _____ 입니다.

| 화장지 | 구슬 | 음료 캔 |

③ 상자 모양인 것은 _____ 입니다.

④ 둥근 기둥 모양인 것은 _____ 입니다.

⑤ 공 모양인 것은 _____ 입니다.

🎨 알맞은 것끼리 이어 보세요.

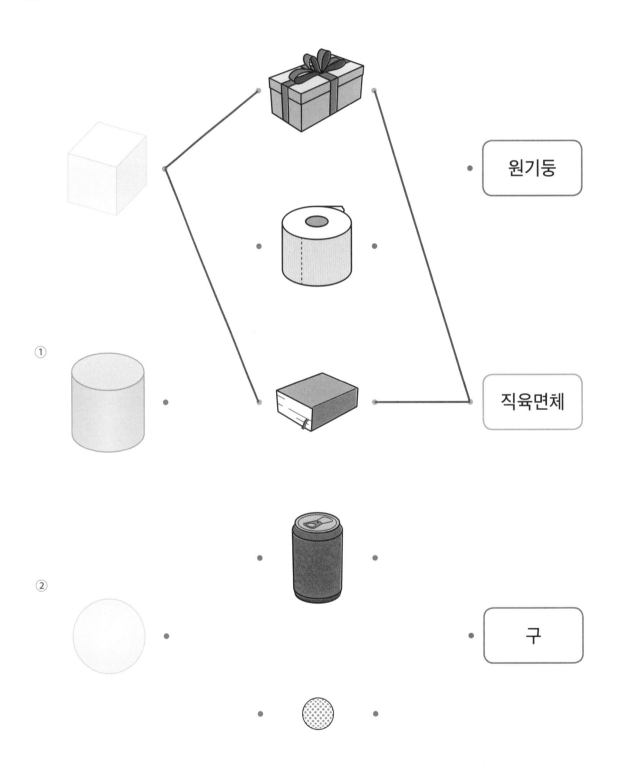

①
②

원기둥

직육면체

구

직육면체, 원기둥, 구는 입체도형을 부르는 진짜 이름이야.

밑줄친 곳에 알맞은 입체도형의 이름을 써넣으세요.

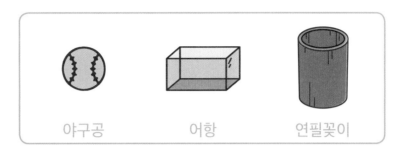

야구공	어항	연필꽂이

야구공은 _____**구**_____ 모양입니다.

① 어항은 _____ 모양입니다.

② 연필꽂이는 _____ 모양입니다.

주사위	비치볼	비커

③ 주사위는 _____ 모양입니다.

④ 비치볼은 _____ 모양입니다.

⑤ 비커는 _____ 모양입니다.

뾰족한, 평평한, 둥근

🐝 입체도형의 부분을 알맞게 설명한 것을 3개씩 찾아 이어 보세요.

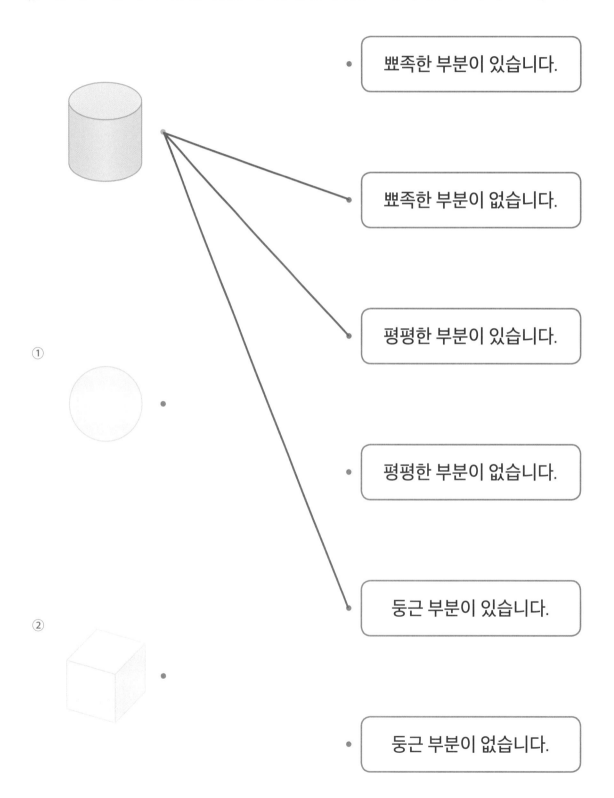

뾰족한 부분이 있습니다.

뾰족한 부분이 없습니다.

평평한 부분이 있습니다.

평평한 부분이 없습니다.

둥근 부분이 있습니다.

둥근 부분이 없습니다.

원기둥의 위, 아래 부분은 평평하고, 옆 부분은 둥글어.

🐝 다음 물음에 답하세요.

구   직육면체   원기둥

뽀족한 부분이 있는 입체도형을 찾아보세요.

직육면체

① 평평한 부분이 없는 입체도형을 찾아보세요.

_____

② 둥근 부분이 있는 입체도형을 모두 찾아보세요.

_____ , _____

③ 뽀족한 부분이 없으면서 평평한 부분이 있는 입체도형을 찾아보세요.

_____

④ 평평한 부분이 있으면서 둥근 부분이 없는 입체도형을 찾아보세요.

_____

🐞 입체도형의 성질을 알맞게 설명한 것을 찾아 이어 보세요.

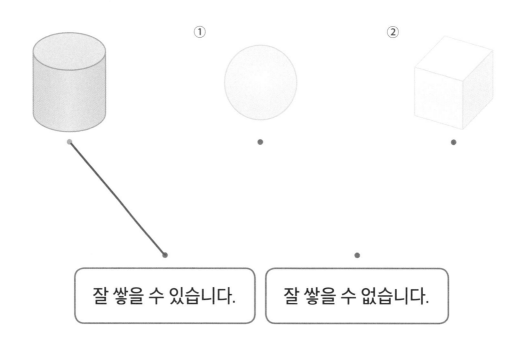

잘 쌓을 수 있습니다.

잘 쌓을 수 없습니다.

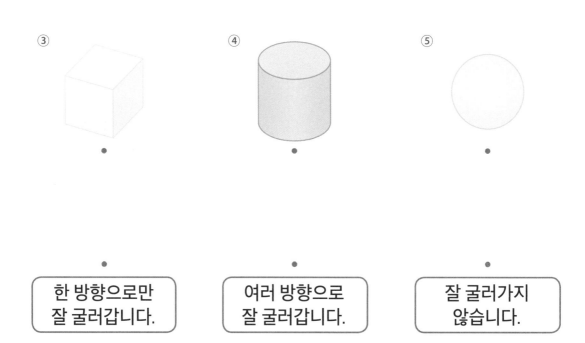

한 방향으로만 잘 굴러갑니다.

여러 방향으로 잘 굴러갑니다.

잘 굴러가지 않습니다.

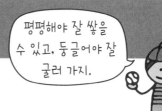

평평해야 잘 쌓을 수 있고, 둥글어야 잘 굴러 가지.

 올바른 말에 ○표, 틀린 말에 ×표 하세요.

둥근 부분도 있고, 평평한 부분도 있는 것은 ~~구입니다.~~ .... ×

원기둥입니다

① 원기둥은 한 방향으로만 잘 굴러갑니다. ....

② 뾰족한 부분이 있는 도형은 잘 굴러갑니다. ....

③ 직육면체는 평평한 부분이 많아서 잘 쌓을 수 있습니다. ....

④ 구는 둥근 부분이 많아서 잘 굴러가지 않습니다. ....

❀ 그림을 보고 밑줄친 곳에 알맞은 말을 써넣으세요.

화장지　휴지통　야구공　책

뽀족한 부분이 있는 것은 ___화장지___ , ___책___ 입니다.

① 평평한 부분이 없는 것은 _____ 입니다.

② 한 방향으로만 잘 굴러가는 것은 _____ 입니다.

구슬　어항　축구공　연필꽂이

③ 둥근 부분이 없는 것은 _____ 입니다.

④ 잘 쌓을 수 없는 것은 _____ , _____ 입니다.

⑤ 평평한 부분이 있고, 둥근 부분도 있는 것은 _____ 입니다.

직육면체는 반듯하고 평평한 얼굴, 즉 면이 6개라는 뜻이야.

❀ 그림을 보고 물음에 답하세요.

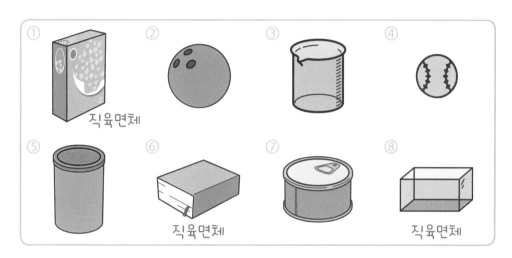

① 직육면체 ② ③ ④

⑤ ⑥ 직육면체 ⑦ ⑧ 직육면체

1번과 모양이 같은 것을 모두 찾아 번호를 쓰세요.

<u> 6 </u>, <u> 8 </u>

① 구 모양인 것은 모두 몇 개입니까?

_____ 개

② 둥근 부분이 있고, 잘 쌓을 수 있는 것을 모두 찾아 번호를 쓰세요.

_____, _____, _____

③ 잘 굴러가지 않는 모양은 모두 몇 개입니까?

_____ 개

✎ 밑줄 친 곳에 알맞은 입체도형의 이름을 써넣으세요.

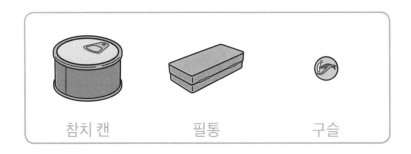

① 참치 캔은 ＿＿＿＿＿＿ 모양입니다.

② 필통은 ＿＿＿＿＿＿ 모양입니다.

✎ 다음 물음에 답하세요.

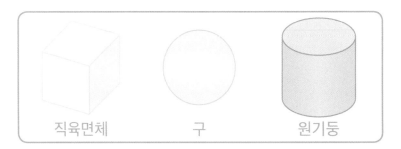

③ 둥근 부분이 없는 입체도형을 찾아보세요.

＿＿＿＿＿＿＿＿

④ 둥근 부분이 있으면서 평평한 부분이 없는 입체도형을 찾아보세요.

＿＿＿＿＿＿＿＿

✎ 올바른 말에 ○표, 틀린 말에 ✕표 하세요.

⑤ 평평한 부분이 하나도 없는 구는 잘 쌓을 수 없습니다. ……………

⑥ 직육면체는 잘 쌓을 수 있고, 잘 굴러갑니다. ……………

⑦ 원기둥은 뾰족한 부분이 없어서 잘 굴러가지 않습니다. ……………

✎ 그림을 보고 밑줄친 곳에 알맞은 말을 써넣으세요.

| 비치볼 | 음료 캔 | 주사위 | 비커 |

⑧ 뾰족한 부분이 있는 것은 _____ 입니다.

⑨ 여러 방향으로 잘 굴러가는 것은 _____ 입니다.

⑩ 잘 굴러가고, 쌓을 수 있는 것은 _____ , _____ 입니다.

🖉 그림을 보고 물음에 답하세요.

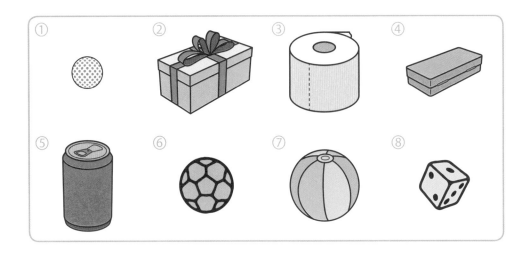

⑪ 원기둥 모양인 것을 모두 찾아 번호를 쓰세요.

_____ , _____

⑫ 8번과 모양이 같은 것은 모두 몇 개입니까?

_____ 개

⑬ 어느 방향으로도 잘 굴러가는 모양을 모두 찾아 번호를 쓰세요.

_____ , _____ , _____

⑭ 잘 쌓을 수 있는 모양은 모두 몇 개입니까?

_____ 개

2주차

평면도형

같은 모양 찾기

✿ 왼쪽과 같은 모양을 찾아 ◯표 하세요.

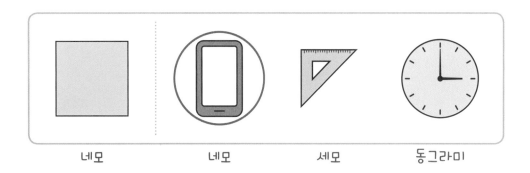

네모   네모   세모   동그라미

①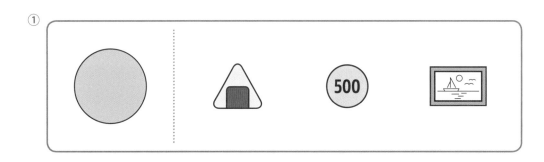

②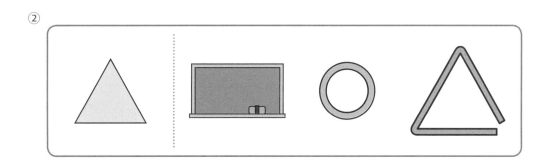

③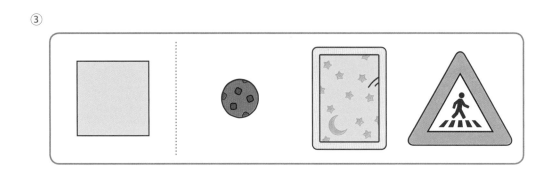

🌸 그림을 보고 밑줄친 곳에 알맞은 말을 써넣으세요.

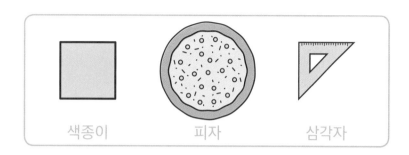

세모 모양인 것은 __삼각자__ 입니다.

① 네모 모양인 것은 _____ 입니다.

② 동그라미 모양인 것은 _____ 입니다.

③ 세모 모양인 것은 _____ 입니다.

④ 네모 모양인 것은 _____ 입니다.

⑤ 동그라미 모양인 것은 _____ 입니다.

🎨 알맞은 것끼리 이어 보세요.

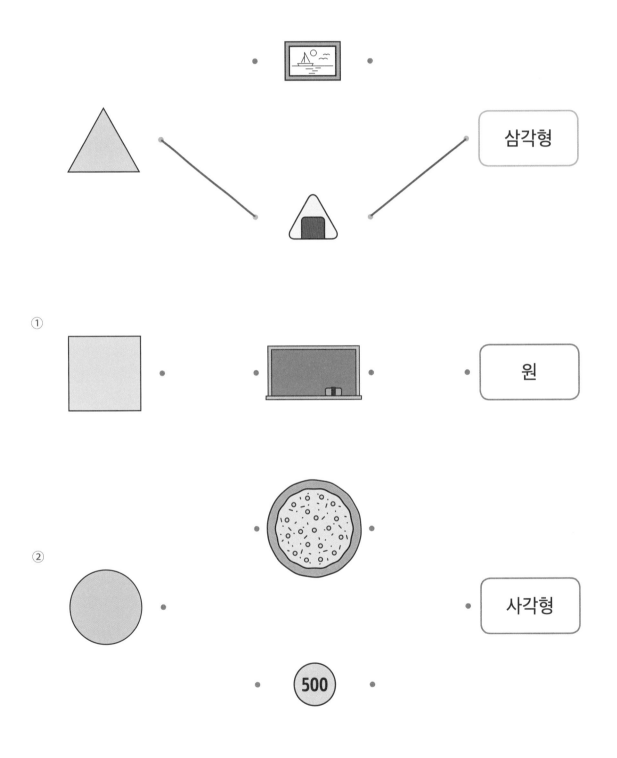

① 삼각형

원

② 사각형

세모는 삼각형, 네모는 사각형, 동그라미는 원이 진짜 이름이야.

🎨 밑줄친 곳에 알맞은 평면도형의 이름을 써넣으세요.

시계   삼각자   휴대폰

시계는 __원__ 모양입니다.

① 삼각자는 _____ 모양입니다.

② 휴대폰은 _____ 모양입니다.

쿠키   이불   표지판

③ 쿠키는 _____ 모양입니다.

④ 이불은 _____ 모양입니다.

⑤ 표지판은 _____ 모양입니다.

뾰족한 부분은 꼭짓점

🐝 뾰족한 부분에 ○표 하고, 빈 곳에 알맞은 수를 써넣으세요.

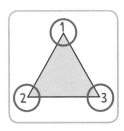

삼각형은 뾰족한 부분이 ___**3**___ 개입니다.

①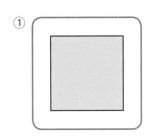

사각형은 뾰족한 부분이 _____ 개입니다.

②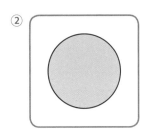

원은 뾰족한 부분이 _____ 개입니다.

③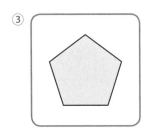

오각형은 뾰족한 부분이 _____ 개입니다.

④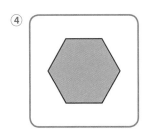

육각형은 뾰족한 부분이 _____ 개입니다.

🐝 다음 물음에 답하세요.

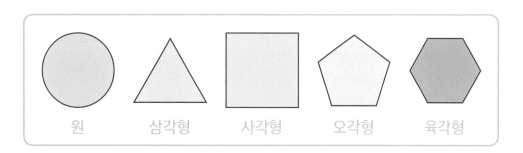

| 원 | 삼각형 | 사각형 | 오각형 | 육각형 |

꼭짓점이 없는 도형을 찾아보세요.

_____원_____

① 삼각형은 꼭짓점이 몇 개입니까?

_____ 개

② 꼭짓점이 4개인 도형을 찾아보세요.

_____

③ 사각형보다 꼭짓점이 많은 도형을 모두 찾아보세요.

_____ , _____

④ 꼭짓점이 가장 많은 도형은 꼭짓점이 몇 개입니까?

_____ 개

곧은 선은 변

🐞 평면도형을 알맞게 설명한 것을 찾아 이어 보세요.

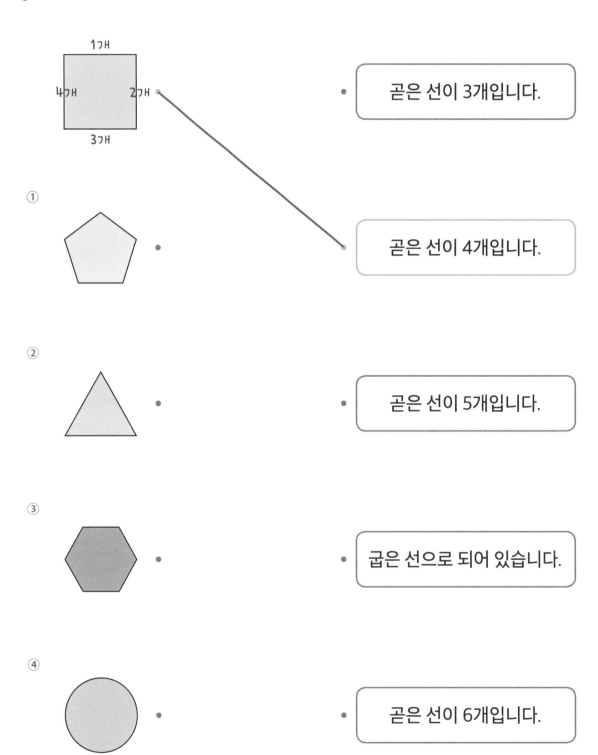

곧은 선이 3개입니다.

곧은 선이 4개입니다.

곧은 선이 5개입니다.

굽은 선으로 되어 있습니다.

곧은 선이 6개입니다.

그림을 보고 물음에 답하세요.

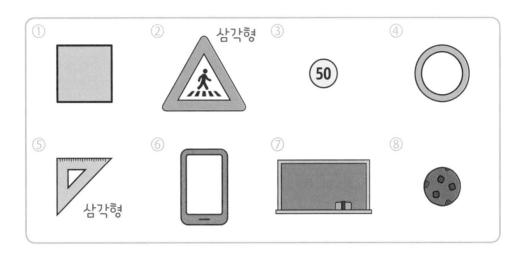

2번과 모양이 같은 것을 찾아 번호를 쓰세요.

_____ 5 _____

① 원 모양인 것은 모두 몇 개입니까?

_____ 개

② 꼭짓점이 4개인 모양을 모두 찾아 번호를 쓰세요.

_____ , _____ , _____

③ 변이 3개인 모양은 모두 몇 개입니까?

_____ 개

✿ 평면도형을 사용하여 만든 그림을 보고 물음에 답하세요.

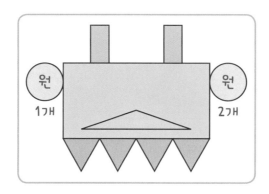

그림에서 사용된 원은 모두 몇 개입니까?　　　　　2　개

① 그림에서 사용된 사각형은 모두 몇 개입니까?　　　　　　개

② 그림에서 가장 많이 사용된 도형은 무엇입니까?　　　

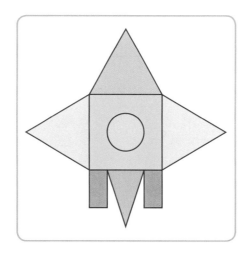

③ 그림에서 사용된 삼각형은 모두 몇 개입니까?　　　　　개

④ 그림에서 가장 적게 사용된 도형은 무엇입니까?

도형의 개수를 구할 때는 크기별로 나누어 세는 것이 좋아.

❀ 점선을 따라 그릴 수 있는 사각형의 개수를 구해 보세요.

가장 작은 1칸짜리 사각형은 몇 개 그릴 수 있습니까?　　　　　__3__ 개

① 둘째로 작은 2칸짜리 사각형은 몇 개 그릴 수 있습니까?　　　　____ 개

② 가장 큰 3칸짜리 사각형은 몇 개 그릴 수 있습니까?　　　　____ 개

③ 그릴 수 있는 크고 작은 사각형은 모두 몇 개입니까?　　　　____ 개

✏️ 밑줄친 곳에 알맞은 평면도형의 이름을 써넣으세요.

① 삼각김밥은 _____ 모양입니다.

② 스케치북은 _____ 모양입니다.

✏️ 그림을 보고 물음에 답하세요.

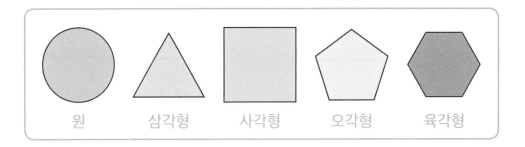

③ 뽀족한 부분이 없는 도형을 찾아보세요.

_____

④ 꼭짓점이 삼각형보다 많고, 육각형보다 적은 도형을 모두 찾아보세요.

_____ , _____

✏️ 그림을 보고 물음에 답하세요.

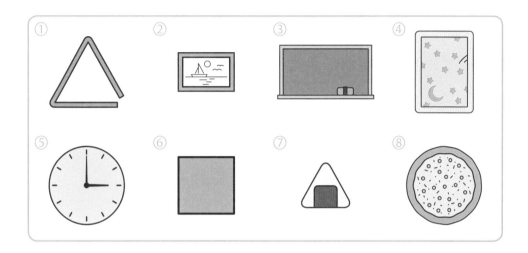

⑤ 5번과 모양이 같은 것을 찾아 번호를 쓰세요.

_____

⑥ 사각형 모양인 것은 모두 몇 개입니까?

_____ 개

⑦ 변이 3개인 모양을 모두 찾아 번호를 쓰세요.

_____ , _____

⑧ 곧은 선으로 되어 있는 모양은 모두 몇 개입니까?

_____ 개

✎ 점선을 따라 그릴 수 있는 사각형의 개수를 구해 보세요.

⑨ 가장 작은 1칸짜리 사각형은 몇 개 그릴 수 있습니까?　　　　_____ 개

⑩ 둘째로 작은 2칸짜리 사각형은 몇 개 그릴 수 있습니까?　　　　_____ 개

⑪ 가장 큰 4칸짜리 사각형은 몇 개 그릴 수 있습니까?　　　　_____ 개

⑫ 그릴 수 있는 크고 작은 사각형은 모두 몇 개입니까?　　　　_____ 개

3주차

패턴과 마디

반복되는 패턴

✿ 반복되는 규칙을 따라 미로를 탈출해 보세요.

[가지, 고추] 가 반복됩니다.

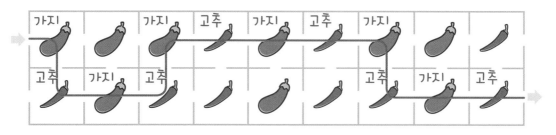

① [축구공, 야구공] 이 반복됩니다.

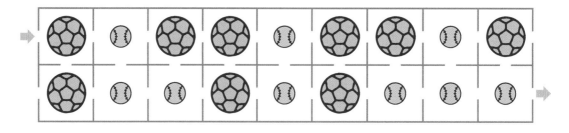

② [원기둥, 구, 직육면체] 가 반복됩니다.

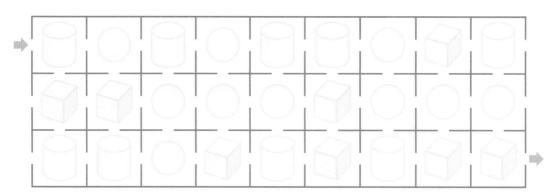

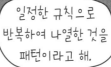

일정한 규칙으로 반복하여 나열한 것을 패턴이라고 해.

🌼 반복되는 규칙에 맞게 그림을 그려 넣으세요.

[삼각형, 사각형] 이 4번 반복됩니다.

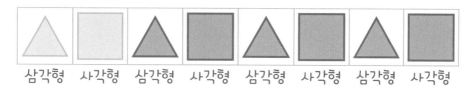

삼각형 사각형 삼각형 사각형 삼각형 사각형 삼각형 사각형

① [원, 삼각형] 이 3번 반복됩니다.

② [사각형, 원, 삼각형] 이 2번 반복됩니다.

③ [삼각형, 삼각형, 원] 이 3번 반복됩니다.

🐞 모양이 반복되는 마디를 찾아 /표로 나누어 보세요.

①

②

③

④

패턴에서 반복되는 부분을 패턴 마디라고 해.

🎲 반복되는 규칙을 찾아 밑줄친 곳에 알맞은 말을 써넣으세요.

[_____원_____ , ____삼각형____] 이 반복됩니다.

①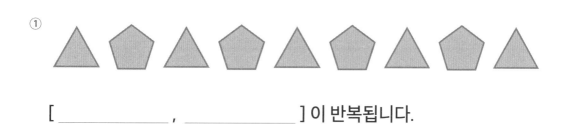

[_____ , _____] 이 반복됩니다.

②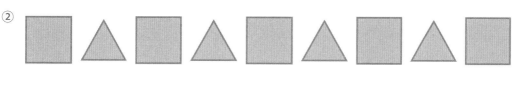

[_____ , _____] 이 반복됩니다.

③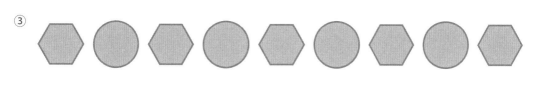

[_____ , _____] 이 반복됩니다.

🐝 모양이 반복되는 마디를 찾아 /표로 나누어 보세요.

①

②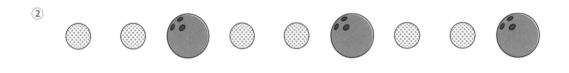

③

④

한 마디는 2개일 수 있고, 3개일 수도 있고, 더 많을 수도 있어.

🐝 반복되는 규칙을 찾아 밑줄친 곳에 알맞은 말을 써넣으세요.

[__삼각형__ , ___원___ , ___원___] 이 반복됩니다.

①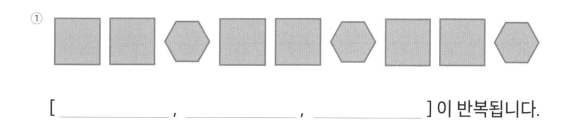

[_____ , _____ , _____] 이 반복됩니다.

②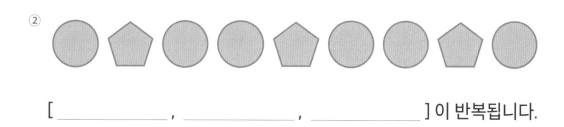

[_____ , _____ , _____] 이 반복됩니다.

③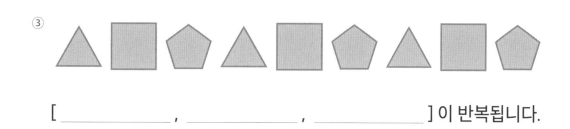

[_____ , _____ , _____] 이 반복됩니다.

🎨 패턴의 마디에 ○표 하고, 빈 곳에 알맞은 모양을 이어 보세요.

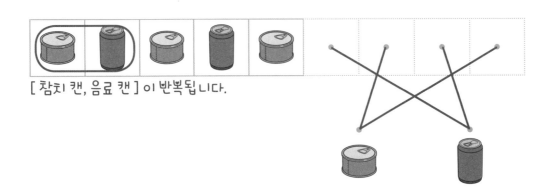

[참치 캔, 음료 캔] 이 반복됩니다.

①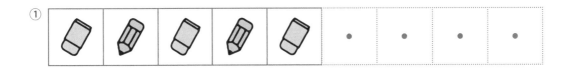

②

패턴의 마디에 ○표 하고, 패턴을 완성해 보세요.

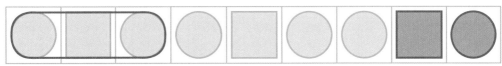

[원, 사각형, 원] 이 반복됩니다.

①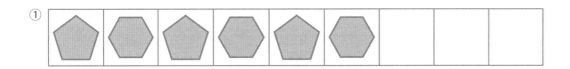

②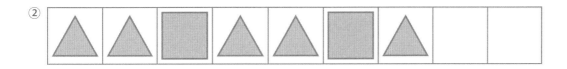

③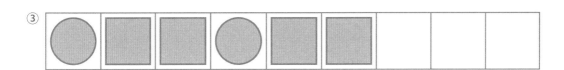

5일 알맞은 모양은 무엇입니까

❀ 밑줄친 곳에 알맞은 말을 써넣으세요.

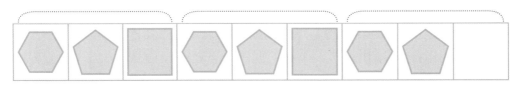

[__육각형__ , __오각형__ , __사각형__] 이 반복됩니다.

빈 곳에 알맞은 모양은 __사각형__ 입니다.

①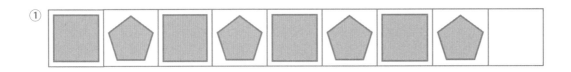

[_____ , _____] 이 반복됩니다.

빈 곳에 알맞은 모양은 _____ 입니다.

②

[_____ , _____ , _____] 이 반복됩니다.

빈 곳에 알맞은 모양은 _____ 입니다.

우선 반복되는 규칙을 찾고, 찾은 규칙을 소리내어 말해 봐.

🌸 그림을 보고 물음에 답하세요.

복숭아　딸기

빈 곳에 알맞은 모양은 무엇입니까?　　　딸기

①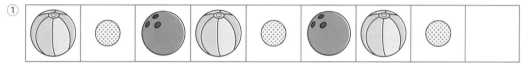

비치볼　골프공　볼링공

빈 곳에 알맞은 모양은 무엇입니까?

②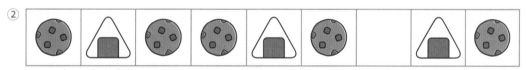

쿠키　삼각김밥

빈 곳에 알맞은 모양은 무엇입니까?

③

지우개　연필

빈 곳에 알맞은 모양은 무엇입니까?

✏️ 반복되는 규칙에 맞게 그림을 그려 넣으세요.

① [사각형, 원] 이 4번 반복됩니다.

② [원, 원, 사각형] 이 2번 반복됩니다.

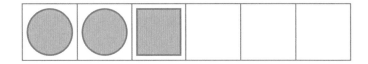

✏️ 모양이 반복되는 마디를 찾아 /표로 나누어 보세요.

③

④

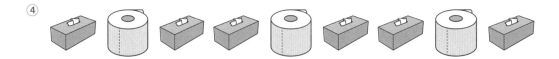

✏️ 반복되는 규칙을 찾아 밑줄친 곳에 알맞은 말을 써넣으세요.

⑤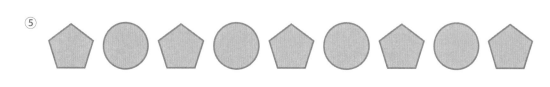

[_____ , _____] 이 반복됩니다.

⑥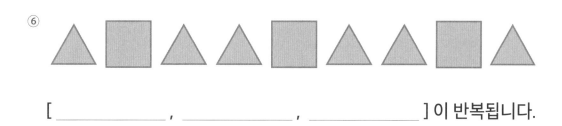

[_____ , _____ , _____] 이 반복됩니다.

✏️ 패턴의 마디에 ○표 하고, 패턴을 완성해 보세요.

⑦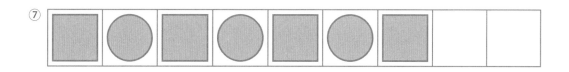

⑧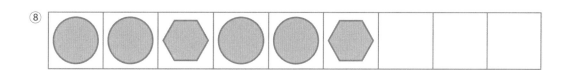

✎ 그림을 보고 물음에 답하세요.

⑨

가지 고추

빈 곳에 알맞은 모양은 무엇입니까? _____

⑩

셔츠 바지

빈 곳에 알맞은 모양은 무엇입니까? _____

⑪

바나나 수박

빈 곳에 알맞은 모양은 무엇입니까? _____

⑫

숟가락 포크

빈 곳에 알맞은 모양은 무엇입니까? _____

4주차

속성 패턴

✿ 반복되는 마디를 찾아 /표로 나누어 보세요.

작은 것   큰 것   작은 것   큰 것   작은 것   큰 것   작은 것   큰 것   작은 것

①

②

③

④

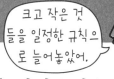

크고 작은 것들을 일정한 규칙으로 늘어놓았어.

🌸 반복되는 규칙을 찾아 밑줄친 곳에 알맞은 말을 써넣으세요.

[__큰 것__ , __작은 것__]이 반복됩니다.

①

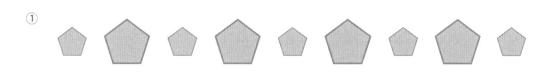

[_____ , _____]이 반복됩니다.

②

[_____ , _____ , _____]이 반복됩니다.

③

[_____ , _____ , _____]이 반복됩니다.

🎨 반복되는 마디를 찾아 /표로 나누어 보세요.

①

②

③

④

색깔이 되풀이 되는 마디를 먼저 찾아야 해.

🦋 반복되는 규칙을 찾아 밑줄친 곳에 알맞은 말을 써넣으세요.

[__파란색__ , __파란색__ , __초록색__] 이 반복됩니다.

①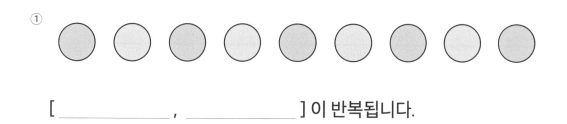

[_____ , _____] 이 반복됩니다.

②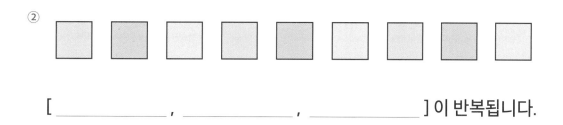

[_____ , _____ , _____] 이 반복됩니다.

③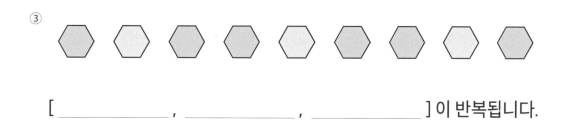

[_____ , _____ , _____] 이 반복됩니다.

🐝 패턴의 마디에 ○표 하고, 빈 곳에 알맞은 모양을 이어 보세요.

[별 1개, 별 2개] 가 반복됩니다.

①

②

별의 개수와
단추 구멍의 개수에서
패턴을 찾아봐.

🐝 패턴의 마디에 ○표 하고, 패턴을 완성해 보세요.

[구멍 4개, 구멍 3개, 구멍 2개] 가 반복됩니다.

①

②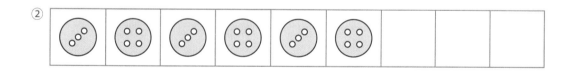

③

4주: 속성 패턴   **53**

🦋 패턴의 마디에 ○표 하고, 빈 곳에 알맞은 모양을 이어 보세요.

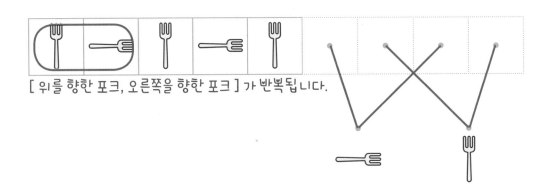

[위를 향한 포크, 오른쪽을 향한 포크] 가 반복됩니다.

①

②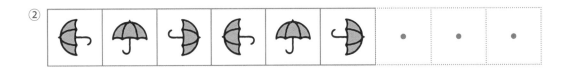

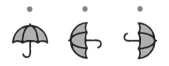

거울에 비친 것처럼 뒤집힌 모양을 대칭인 모양이라고 해.

패턴의 마디에 ○표 하고, 패턴을 완성해 보세요.

[삼각형, 위아래로 뒤집힌 삼각형, 삼각형] 이 반복됩니다.

①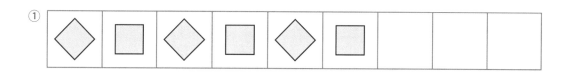

②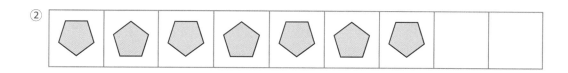

③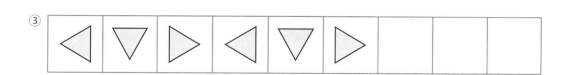

❀ 그림을 보고 물음에 답하세요.

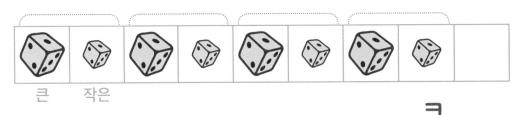

큰　작은

빈 곳에 알맞은 모양은 무엇입니까?　　　　　_____큰_____ 주사위

①

분홍색　초록색

빈 곳에 알맞은 모양은 무엇입니까?　　　　　_____ 돼지

②

3개　4개

빈 곳에 알맞은 모양은 무엇입니까?　　　　　별 _____ 개

③

작은　　큰

빈 곳에 알맞은 모양은 무엇입니까?　　　　　_____ 액자

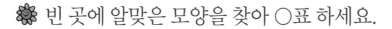

모양, 크기, 색깔, 개수, 방향 등 여러 가지 속성을 잘 따져야 해.

❀ 빈 곳에 알맞은 모양을 찾아 ○표 하세요.

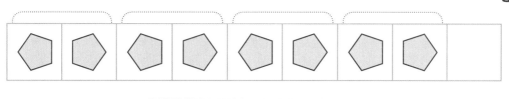

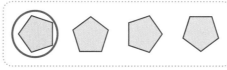

①

②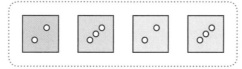

③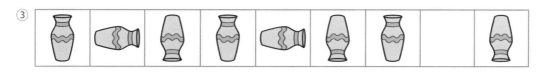

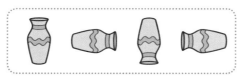

✏️ 반복되는 마디를 찾아 /표로 나누어 보세요.

①

②

✏️ 반복되는 규칙을 찾아 밑줄친 곳에 알맞은 말을 써넣으세요.

③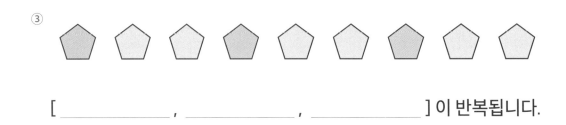

[_____ , _____ , _____] 이 반복됩니다.

④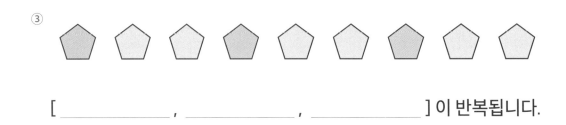

[_____ , _____ , _____] 이 반복됩니다.

✎ 패턴의 마디에 ○표 하고, 패턴을 완성해 보세요.

⑤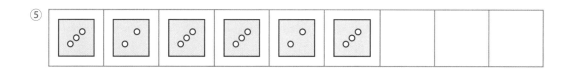

⑥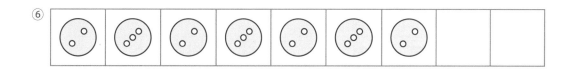

✎ 그림을 보고 물음에 답하세요.

⑦

분홍색 초록색 파란색

빈 곳에 알맞은 모양은 무엇입니까? _____ 풍선

⑧

큰   작은

빈 곳에 알맞은 모양은 무엇입니까? _____ 주전자

✏️ 빈 곳에 알맞은 모양을 찾아 ○표 하세요.

⑨

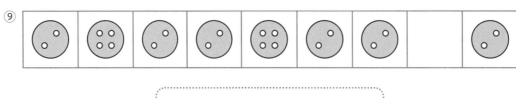

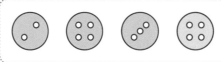

⑩

⑪

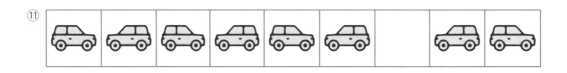

⑫

진단평가

진단평가에는 앞에서 학습한 4주차의 문장제 활동이 순서대로 나옵니다. 잘못 푼 문제가 있으면 몇 주차인지 확인하여 반드시 한 번 더 복습해 봅니다.

1주차	3주차
2주차	4주차

✎ 밑줄친 곳에 알맞은 입체도형의 이름을 써넣으세요.

볼링공   휴지통   화장지

① 볼링공은 _____ 모양입니다.

② 휴지통은 _____ 모양입니다.

③ 화장지는 _____ 모양입니다.

✎ 점선을 따라 그릴 수 있는 삼각형의 개수를 구해 보세요.

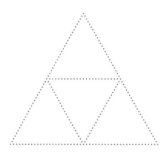

④ 가장 작은 1칸짜리 삼각형은 몇 개 그릴 수 있습니까? _____ 개

⑤ 가장 큰 4칸짜리 삼각형은 몇 개 그릴 수 있습니까? _____ 개

⑥ 그릴 수 있는 크고 작은 삼각형은 모두 몇 개입니까? _____ 개

✎ 패턴의 마디에 ○표 하고, 패턴을 완성해 보세요.

⑦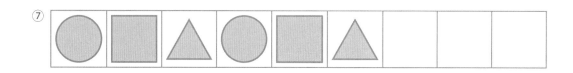

⑧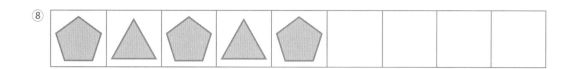

✎ 반복되는 규칙을 찾아 밑줄친 곳에 알맞은 말을 써넣으세요.

⑨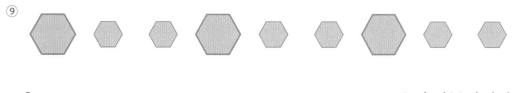

[_____ , _____ , _____] 이 반복됩니다.

⑩

[_____ , _____ , _____] 이 반복됩니다.

✏️ 다음 물음에 답하세요.

① 평평한 부분이 있는 입체도형을 모두 찾아보세요.

_____ , _____

② 뽀족한 부분이 없으면서 평평한 부분이 있는 입체도형을 찾아보세요.

_____

✏️ 그림을 보고 물음에 답하세요.

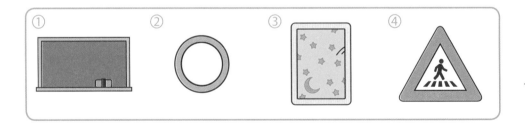

③ 사각형 모양인 것을 모두 찾아 번호를 쓰세요.   _____ , _____

④ 4번 모양보다 꼭짓점이 많은 모양은 몇 개입니까?   _____ 개

✎ 그림을 보고 물음에 답하세요.

⑤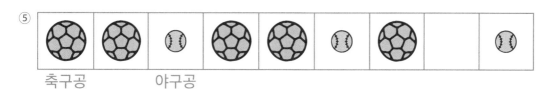

축구공　　　야구공

빈 곳에 알맞은 모양은 무엇입니까?　　　　　　_____

⑥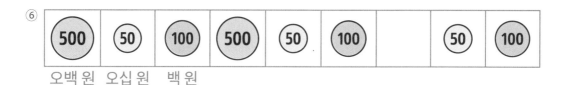

오백 원　오십 원　백 원

빈 곳에 알맞은 모양은 무엇입니까?　　　　　　_____

✎ 패턴의 마디에 ○표 하고, 패턴을 완성해 보세요.

⑦

⑧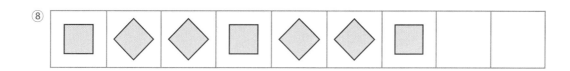

✎ 올바른 말에 ○표, 틀린 말에 ×표 하세요.

① 구는 둥근 부분이 있어서 한 방향으로만 잘 굴러갑니다. ················

② 뾰족한 부분이 있고, 잘 굴러가는 것은 원기둥입니다. ················

③ 직육면체는 둥근 부분이 없고, 평평한 부분이 있습니다. ················

✎ 밑줄친 곳에 알맞은 평면도형의 이름을 써넣으세요.

색종이   동전   트라이앵글

④ 색종이는 _____ 모양입니다.

⑤ 동전은 _____ 모양입니다.

⑥ 트라이앵글은 _____ 모양입니다.

✎ 반복되는 규칙에 맞게 그림을 그려 넣으세요.

⑦ [사각형, 삼각형] 이 3번 반복됩니다.

⑧ [삼각형, 사각형, 원] 이 3번 반복됩니다.

✎ 그림을 보고 물음에 답하세요.

⑨

3개   2개

빈 곳에 알맞은 모양은 무엇입니까?   별 _____ 개

⑩

초록색 파란색

빈 곳에 알맞은 모양은 무엇입니까?   _____ 연필

✎ 그림을 보고 밑줄친 곳에 알맞은 말을 써넣으세요.

① 뾰족한 부분이 없고, 평평한 부분이 있는 것은 _____ 입니다.

② 평평한 부분이 없는 것은 _____ , _____ 입니다.

③ 잘 굴러가지 않는 것은 _____ 입니다.

✎ 평면도형을 사용하여 만든 그림을 보고 물음에 답하세요.

④ 그림에서 사용된 사각형은 모두 몇 개입니까?   _____ 개

⑤ 그림에서 가장 많이 사용된 도형은 무엇입니까?   _____

✏️ 모양이 반복되는 마디를 찾아 /표로 나누어 보세요.

⑥

⑦

✏️ 빈 곳에 알맞은 모양을 찾아 ○표 하세요.

⑧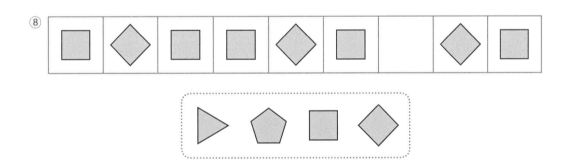

⑨

✎ 그림을 보고 물음에 답하세요.

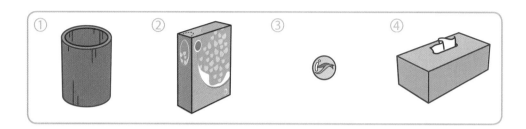

① 직육면체인 것을 모두 찾아 번호를 쓰세요. _____ , _____

② 뾰족한 부분이 없는 모양은 모두 몇 개입니까? _____ 개

✎ 그림을 보고 물음에 답하세요.

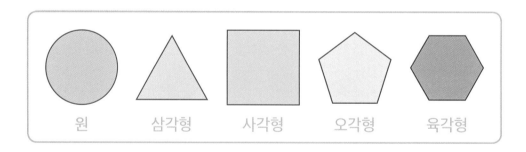

원　　삼각형　　사각형　　오각형　　육각형

③ 오각형은 꼭짓점이 몇 개입니까? _____ 개

④ 삼각형보다 꼭짓점이 3개 더 많은 도형을 찾아보세요. _____

✎ 반복되는 규칙을 찾아 밑줄친 곳에 알맞은 말을 써넣으세요.

⑤

[_____ , _____ , _____] 이 반복됩니다.

⑥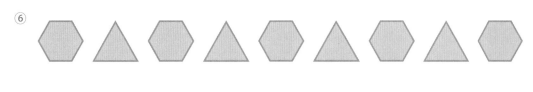

[_____ , _____] 이 반복됩니다.

✎ 반복되는 마디를 찾아 / 표로 나누어 보세요.

⑦

⑧

하 루 1 0 분 서술형 / 문장제 학습지

씨두엠

수학 독해

P4 모양과 규칙
6세~8세

Creative to Math
씨두엠

정답

P4 모양과 규칙
6세~8세

P 06 ~ 07

1일 같은 모양 찾기

은 상자 모양,
은 둥근 기둥 모양,
은 공 모양!

🌸 왼쪽과 같은 모양을 찾아 ○표 하세요.

🌸 그림을 보고 밑줄친 곳에 알맞은 말을 써넣으세요.

상자 모양인 것은 ___책___ 입니다.

① 둥근 기둥 모양인 것은 ___휴지통___ 입니다.

② 공 모양인 것은 ___축구공___ 입니다.

③ 상자 모양인 것은 ___화장지___ 입니다.

④ 둥근 기둥 모양인 것은 ___음료 캔___ 입니다.

⑤ 공 모양인 것은 ___구슬___ 입니다.

P 08 ~ 09

2일 입체도형의 이름

직육면체, 원기둥,
구는 입체도형을 부르
는 진짜 이름이야.

 알맞은 것끼리 이어 보세요.

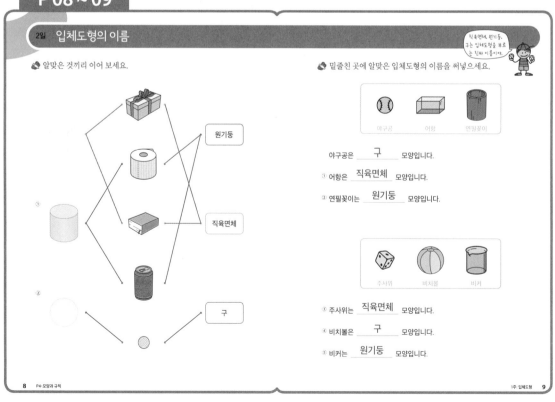 밑줄친 곳에 알맞은 입체도형의 이름을 써넣으세요.

원기둥

직육면체

구

야구공은 ___구___ 모양입니다.

① 어항은 ___직육면체___ 모양입니다.

② 연필꽂이는 ___원기둥___ 모양입니다.

③ 주사위는 ___직육면체___ 모양입니다.

④ 비치볼은 ___구___ 모양입니다.

⑤ 비커는 ___원기둥___ 모양입니다.

P 10~11

3일 뾰족한, 평평한, 둥근

입체도형의 부분을 알맞게 설명한 것을 3개씩 찾아 이어 보세요.

다음 물음에 답하세요.

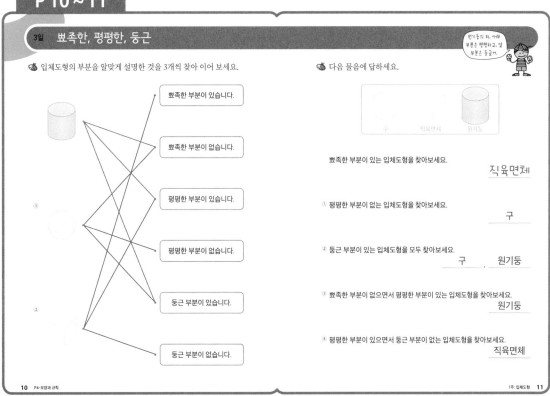

뾰족한 부분이 있는 입체도형을 찾아보세요.
직육면체

① 평평한 부분이 없는 입체도형을 찾아보세요.
구

② 둥근 부분이 있는 입체도형을 모두 찾아보세요.
구 , **원기둥**

③ 뾰족한 부분이 없으면서 평평한 부분이 있는 입체도형을 찾아보세요.
원기둥

④ 평평한 부분이 있으면서 둥근 부분이 없는 입체도형을 찾아보세요.
직육면체

P 12~13

4일 쌓을 수 있는, 굴러가는

입체도형의 성질을 알맞게 설명한 것을 찾아 이어 보세요.

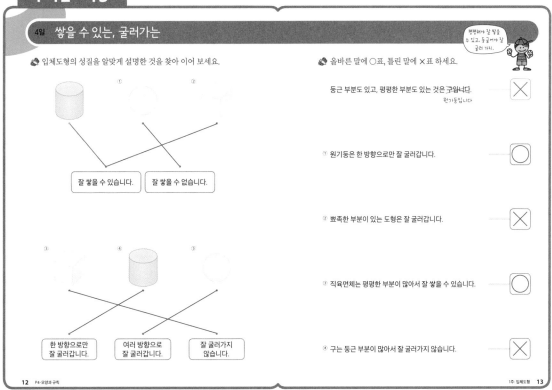

올바른 말에 ○표, 틀린 말에 ×표 하세요.

둥근 부분도 있고, 평평한 부분도 있는 것은 ~~구~~입니다. **×**
원기둥입니다

① 원기둥은 한 방향으로만 잘 굴러갑니다. **○**

② 뾰족한 부분이 있는 도형은 잘 굴러갑니다. **×**

③ 직육면체는 평평한 부분이 많아서 잘 쌓을 수 있습니다. **○**

④ 구는 둥근 부분이 많아서 잘 굴러가지 않습니다. **×**

P 14 ~ 15

5일 입체 모양 수수께끼

> 직육면체는 반듯하고 평평한 널굴, 즉 면이 6개라는 뜻이야.

❀ 그림을 보고 밑줄친 곳에 알맞은 말을 써넣으세요.

뾰족한 부분이 있는 것은 __화장지__ , __책__ 입니다.

① 평평한 부분이 없는 것은 __야구공__ 입니다.

② 한 방향으로만 잘 굴러가는 것은 __휴지통__ 입니다.

③ 둥근 부분이 없는 것은 __어항__ 입니다.

④ 잘 쌓을 수 없는 것은 __구슬__ , __축구공__ 입니다.

⑤ 평평한 부분이 있고, 둥근 부분도 있는 것은 __연필꽂이__ 입니다.

❀ 그림을 보고 물음에 답하세요.

1번과 모양이 같은 것을 모두 찾아 번호를 쓰세요.
__6__ , __8__

① 구 모양인 것은 모두 몇 개입니까?
__2__ 개

② 둥근 부분이 있고, 잘 쌓을 수 있는 것을 모두 찾아 번호를 쓰세요.
__3__ , __5__ , __7__

③ 잘 굴러가지 않는 모양은 모두 몇 개입니까?
__3__ 개

P 16 ~ 17

확인학습

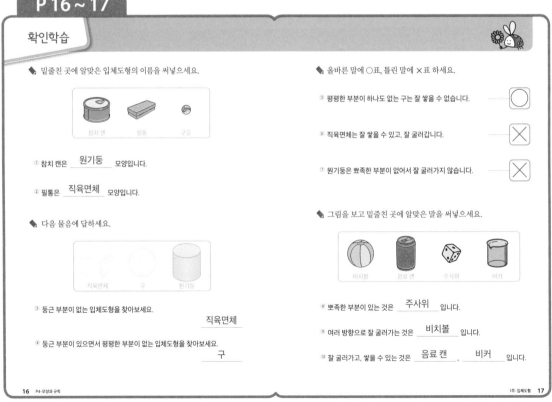

✎ 밑줄친 곳에 알맞은 입체도형의 이름을 써넣으세요.

① 참치 캔은 __원기둥__ 모양입니다.

② 필통은 __직육면체__ 모양입니다.

✎ 다음 물음에 답하세요.

③ 둥근 부분이 없는 입체도형을 찾아보세요.
__직육면체__

④ 둥근 부분이 있으면서 평평한 부분이 없는 입체도형을 찾아보세요.
__구__

✎ 올바른 말에 ○표, 틀린 말에 ×표 하세요.

⑤ 평평한 부분이 하나도 없는 구는 잘 쌓을 수 없습니다. ○

⑥ 직육면체는 잘 쌓을 수 있고, 잘 굴러갑니다. ×

⑦ 원기둥은 뾰족한 부분이 없어서 잘 굴러가지 않습니다. ×

✎ 그림을 보고 밑줄친 곳에 알맞은 말을 써넣으세요.

⑧ 뾰족한 부분이 있는 것은 __주사위__ 입니다.

⑨ 여러 방향으로 잘 굴러가는 것은 __비치볼__ 입니다.

⑩ 잘 굴러가고, 쌓을 수 있는 것은 __음료 캔__ , __비커__ 입니다.

P 18

확인학습

✎ 그림을 보고 물음에 답하세요.

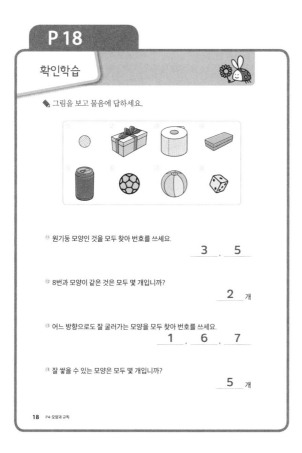

(1) 원기둥 모양인 것을 모두 찾아 번호를 쓰세요.

<u>3</u> , <u>5</u>

(2) 8번과 모양이 같은 것은 모두 몇 개입니까?

<u>2</u> 개

(3) 어느 방향으로도 잘 굴러가는 모양을 모두 찾아 번호를 쓰세요.

<u>1</u> , <u>6</u> , <u>7</u>

(4) 잘 쌓을 수 있는 모양은 모두 몇 개입니까?

<u>5</u> 개

1일 같은 모양 찾기

△는 세모.
□는 네모.
○는 동그라미!

❀ 왼쪽과 같은 모양을 찾아 ○표 하세요.

네모   네모   세모   동그라미

①

②

③

❀ 그림을 보고 밑줄친 곳에 알맞은 말을 써넣으세요.

색종이   피자   삼각자

세모 모양인 것은 __삼각자__ 입니다.

① 네모 모양인 것은 __색종이__ 입니다.

② 동그라미 모양인 것은 __피자__ 입니다.

표지판   동전   스케치북

③ 세모 모양인 것은 __표지판__ 입니다.

④ 네모 모양인 것은 __스케치북__ 입니다.

⑤ 동그라미 모양인 것은 __동전__ 입니다.

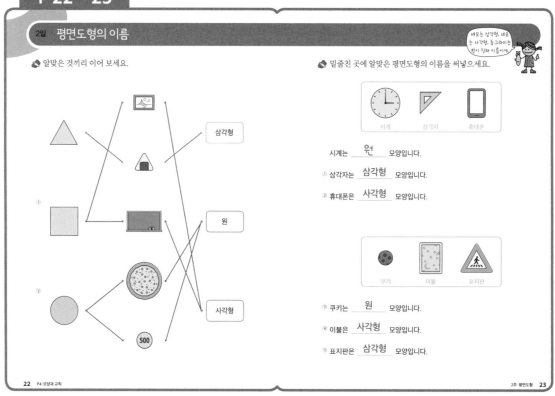

2일 평면도형의 이름

세모는 삼각형, 네모
는 사각형, 동그라미는
원이 진짜 이름이야!

❀ 알맞은 것끼리 이어 보세요.

삼각형

①

원

②

사각형

500

❀ 밑줄친 곳에 알맞은 평면도형의 이름을 써넣으세요.

시계   삼각자   휴대폰

시계는 __원__ 모양입니다.

① 삼각자는 __삼각형__ 모양입니다.

② 휴대폰은 __사각형__ 모양입니다.

쿠키   이불   표지판

③ 쿠키는 __원__ 모양입니다.

④ 이불은 __사각형__ 모양입니다.

⑤ 표지판은 __삼각형__ 모양입니다.

P 24 ~ 25

3일 뾰족한 부분은 꼭짓점

뾰족한 부분을 꼭짓점이라고 해. 꼭짓점이 3개면 삼각형이야.

🐝 뾰족한 부분에 ○표 하고, 빈 곳에 알맞은 수를 써넣으세요.

삼각형은 뾰족한 부분이 __3__ 개입니다.

사각형은 뾰족한 부분이 __4__ 개입니다.

원은 뾰족한 부분이 __0__ 개입니다.

오각형은 뾰족한 부분이 __5__ 개입니다.

육각형은 뾰족한 부분이 __6__ 개입니다.

🐝 다음 물음에 답하세요.

| 원 | 삼각형 | 사각형 | 오각형 | 육각형 |

꼭짓점이 없는 도형을 찾아보세요. __원__

① 삼각형은 꼭짓점이 몇 개입니까? __3__ 개

② 꼭짓점이 4개인 도형을 찾아보세요. __사각형__

③ 사각형보다 꼭짓점이 많은 도형을 모두 찾아보세요. __오각형__ , __육각형__

④ 꼭짓점이 가장 많은 도형은 꼭짓점이 몇 개입니까? __6__ 개

P 26 ~ 27

4일 곧은 선은 변

평면도형에서 꼭짓점 사이를 잇는 곧은 선을 변이라고 해.

🐱 평면도형을 알맞게 설명한 것을 찾아 이어 보세요.

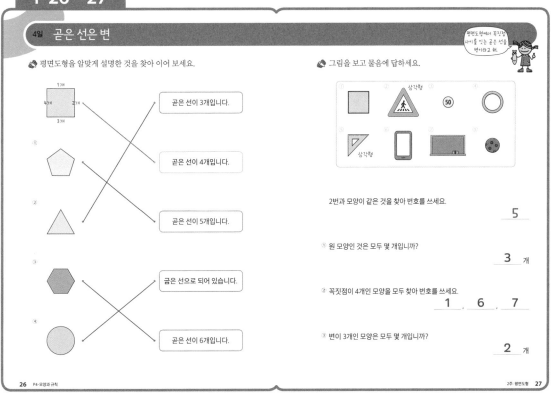

곧은 선이 3개입니다.

곧은 선이 4개입니다.

곧은 선이 5개입니다.

굽은 선으로 되어 있습니다.

곧은 선이 6개입니다.

🐱 그림을 보고 물음에 답하세요.

2번과 모양이 같은 것을 찾아 번호를 쓰세요. __5__

① 원 모양인 것은 모두 몇 개입니까? __3__ 개

② 꼭짓점이 4개인 모양을 모두 찾아 번호를 쓰세요. __1__ , __6__ , __7__

③ 변이 3개인 모양은 모두 몇 개입니까? __2__ 개

P 28 ~ 29

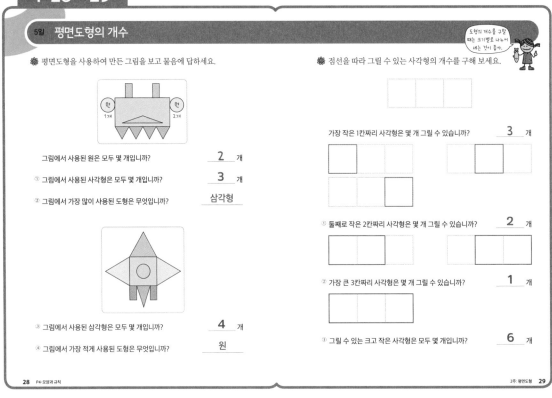

P 30 ~ 31

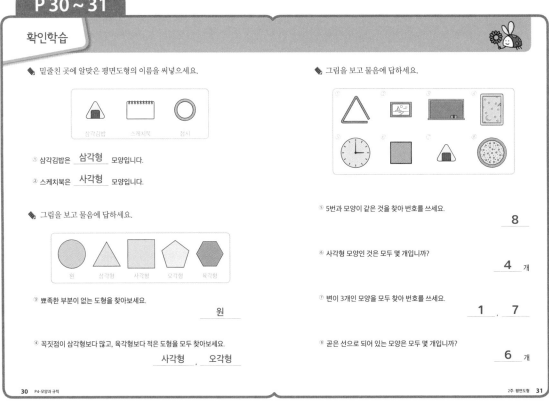

P 32

확인학습

◆ 점선을 따라 그릴 수 있는 사각형의 개수를 구해 보세요.

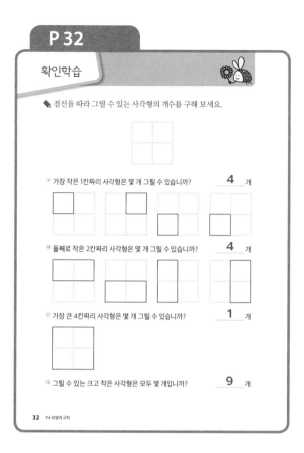

⑨ 가장 작은 1칸짜리 사각형은 몇 개 그릴 수 있습니까? **4** 개

⑩ 둘째로 작은 2칸짜리 사각형은 몇 개 그릴 수 있습니까? **4** 개

⑪ 가장 큰 4칸짜리 사각형은 몇 개 그릴 수 있습니까? **1** 개

⑫ 그릴 수 있는 크고 작은 사각형은 모두 몇 개입니까? **9** 개

P 34 ~ 35

1일 반복되는 패턴

일정한 규칙으로 반복하여 나열한 것을 패턴이라고 해.

❀ 반복되는 규칙을 따라 미로를 탈출해 보세요.

❀ 반복되는 규칙에 맞게 그림을 그려 넣으세요.

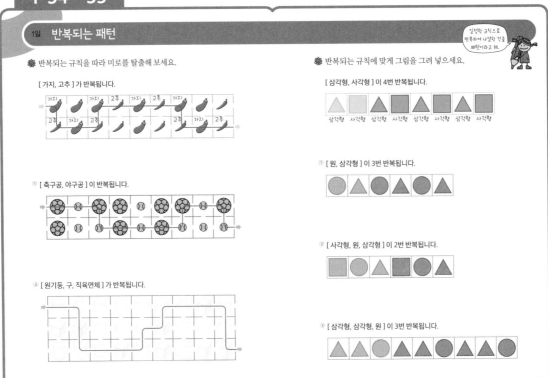

P 36 ~ 37

2일 마디 찾기(1)

패턴에서 반복되는 부분을 패턴 마디라고 해.

🌸 모양이 반복되는 마디를 찾아 /표로 나누어 보세요.

🌸 반복되는 규칙을 찾아 밑줄친 곳에 알맞은 말을 써넣으세요.

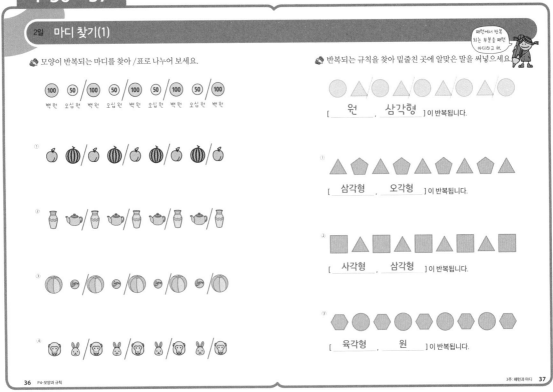

P 38 ~ 39

3일 마디 찾기(2)

한 마디는 2개일 수 있고, 3개일 수도 있고, 더 많을 수도 있어.

모양이 반복되는 마디를 찾아 /표로 나누어 보세요.

반복되는 규칙을 찾아 밑줄친 곳에 알맞은 말을 써넣으세요.

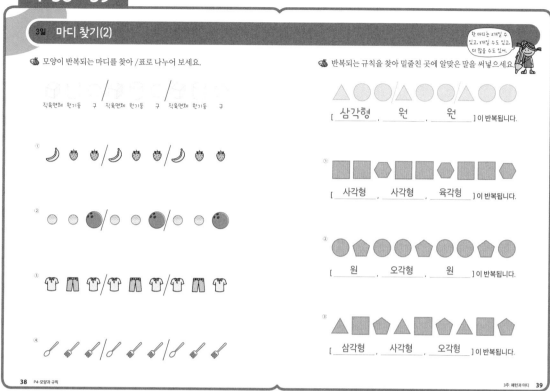

[**삼각형** , **원** , **원**] 이 반복됩니다.

① [**사각형** , **사각형** , **육각형**] 이 반복됩니다.

② [**원** , **오각형** , **원**] 이 반복됩니다.

③ [**삼각형** , **사각형** , **오각형**] 이 반복됩니다.

P 40 ~ 41

4일 패턴 완성하기

패턴 문제에서는 먼저 패턴의 마디를 찾아야 해.

패턴의 마디에 ○표 하고, 빈 곳에 알맞은 모양을 이어 보세요.

패턴의 마디에 ○표 하고, 패턴을 완성해 보세요.

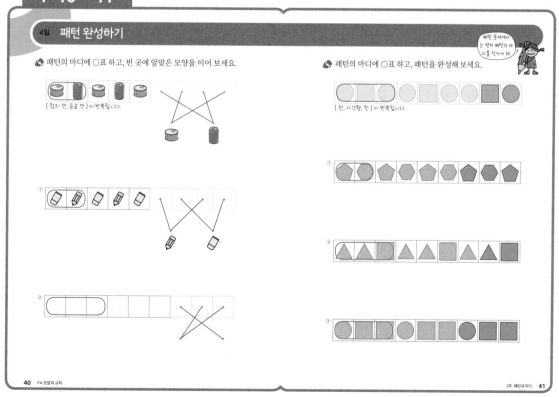

[참치 캔, 음료 캔] 이 반복됩니다.

[원, 사각형, 원] 이 반복됩니다.

P 42 ~ 43

5일 알맞은 모양은 무엇입니까

우선 반복되는 규칙을 찾고, 작은 규칙을 소리내어 말해 봐.

❀ 밑줄친 곳에 알맞은 말을 써넣으세요.

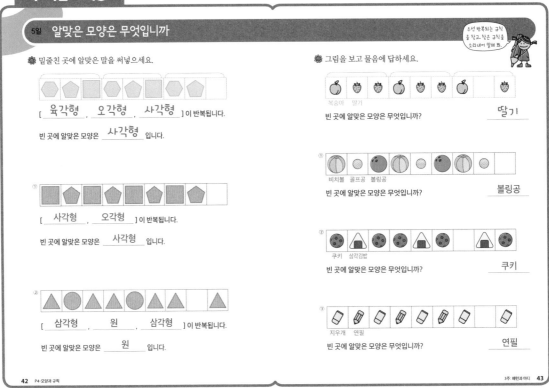

[__육각형__ , __오각형__ , __사각형__] 이 반복됩니다.

빈 곳에 알맞은 모양은 ___사각형___ 입니다.

① [__사각형__ , __오각형__] 이 반복됩니다.

빈 곳에 알맞은 모양은 ___사각형___ 입니다.

② [__삼각형__ , __원__ , __삼각형__] 이 반복됩니다.

빈 곳에 알맞은 모양은 ___원___ 입니다.

❀ 그림을 보고 물음에 답하세요.

복숭아 딸기

빈 곳에 알맞은 모양은 무엇입니까? __딸기__

① 비치볼 골프공 볼링공

빈 곳에 알맞은 모양은 무엇입니까? __볼링공__

② 쿠키 삼각김밥

빈 곳에 알맞은 모양은 무엇입니까? __쿠키__

③ 지우개 연필

빈 곳에 알맞은 모양은 무엇입니까? __연필__

P 44 ~ 45

확인학습

✎ 반복되는 규칙에 맞게 그림을 그려 넣으세요.

① [사각형, 원] 이 4번 반복됩니다.

② [원, 원, 사각형] 이 2번 반복됩니다.

✎ 모양이 반복되는 마디를 찾아 / 표로 나누어 보세요.

③

④

✎ 반복되는 규칙을 찾아 밑줄친 곳에 알맞은 말을 써넣으세요.

⑤ [__오각형__ , __원__] 이 반복됩니다.

⑥ [__삼각형__ , __사각형__ , __삼각형__] 이 반복됩니다.

✎ 패턴의 마디에 ○표 하고, 패턴을 완성해 보세요.

⑦

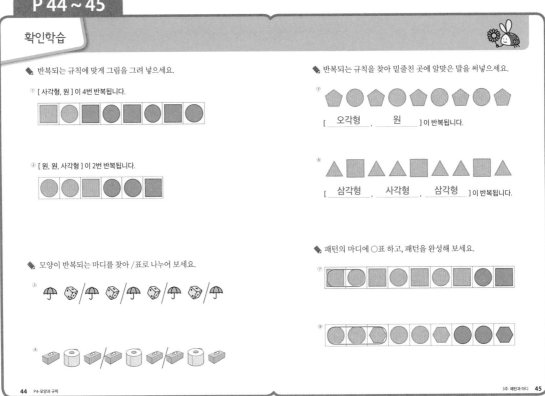

⑧

P 46

확인학습

✎ 그림을 보고 물음에 답하세요.

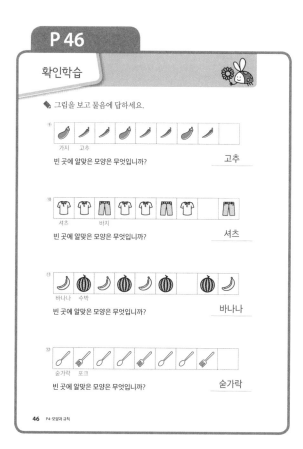

⁹ 가지 고추

빈 곳에 알맞은 모양은 무엇입니까?　　　　고추

¹⁰ 셔츠 바지

빈 곳에 알맞은 모양은 무엇입니까?　　　　셔츠

¹¹ 바나나 수박

빈 곳에 알맞은 모양은 무엇입니까?　　　　바나나

¹² 숟가락 포크

빈 곳에 알맞은 모양은 무엇입니까?　　　　숟가락

P 48 ~ 49

1일 크기 패턴

크고 작은 것
둘을 일정한 규칙으
로 늘어놓았어.

❀ 반복되는 마디를 찾아 /표로 나누어 보세요.

작은 것 큰 것 작은 것 큰 것 작은 것 큰 것 작은 것 큰 것 작은 것

①

②

③

④

❀ 반복되는 규칙을 찾아 밑줄친 곳에 알맞은 말을 써넣으세요.

[__큰 것__ , __작은 것__]이 반복됩니다.

①

[__작은 것__ __큰 것__]이 반복됩니다.

②

[__큰 것__ , __작은 것__ , __큰 것__]이 반복됩니다.

③

[__작은 것__ , __큰 것__ , __큰 것__]이 반복됩니다.

P 50 ~ 51

2일 색깔 패턴

색깔이 되풀이
되는 마디를
먼저 찾아야 해.

❀ 반복되는 마디를 찾아 /표로 나누어 보세요.

분홍색 초록색 파란색 분홍색 초록색 파란색 분홍색 초록색 파란색

①

②

③

④

❀ 반복되는 규칙을 찾아 밑줄친 곳에 알맞은 말을 써넣으세요.

[__파란색__ __파란색__ __초록색__]이 반복됩니다.

①

[__분홍색__ __파란색__]이 반복됩니다.

②

[__파란색__ , __분홍색__ __초록색__]이 반복됩니다.

③

[__분홍색__ , __초록색__ __분홍색__]이 반복됩니다.

P 52 ~ 53

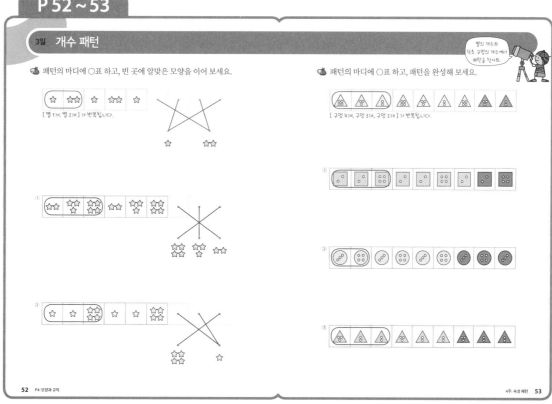

P 54 ~ 55

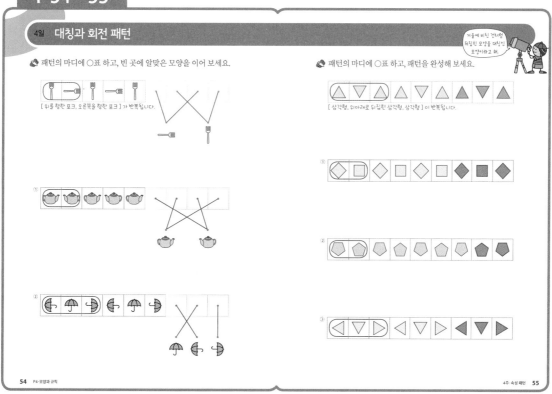

P 56 ~ 57

5일 여러 가지 속성 패턴

모양, 크기, 색깔, 개수,
방향 등 여러 가지 속성
을 잘 따져야 해.

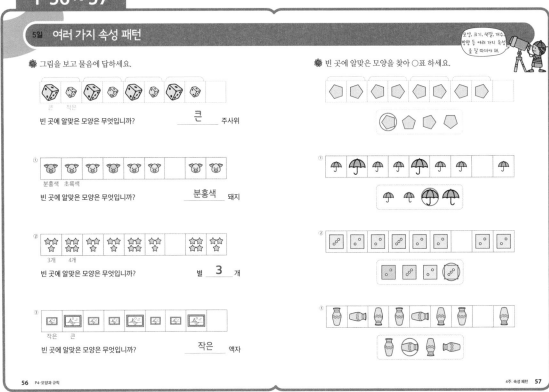

❀ 그림을 보고 물음에 답하세요.

큰   작은

빈 곳에 알맞은 모양은 무엇입니까? __큰__ 주사위

① 분홍색   초록색

빈 곳에 알맞은 모양은 무엇입니까? __분홍색__ 돼지

② 3개   4개

빈 곳에 알맞은 모양은 무엇입니까? 별 __3__ 개

③ 작은   큰

빈 곳에 알맞은 모양은 무엇입니까? __작은__ 액자

❀ 빈 곳에 알맞은 모양을 찾아 ○표 하세요.

①

②

③

P 58 ~ 59

확인학습

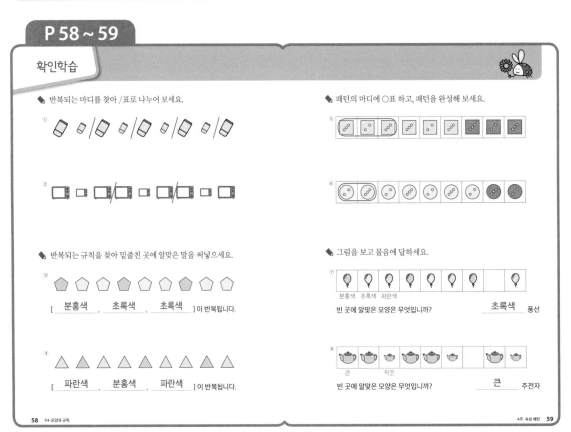

✎ 반복되는 마디를 찾아 /표로 나누어 보세요.

①

②

✎ 반복되는 규칙을 찾아 밑줄친 곳에 알맞은 말을 써넣으세요.

③

[__분홍색__ , __초록색__ , __초록색__] 이 반복됩니다.

④

[__파란색__ , __분홍색__ , __파란색__] 이 반복됩니다.

✎ 패턴의 마디에 ○표 하고, 패턴을 완성해 보세요.

⑤

⑥

✎ 그림을 보고 물음에 답하세요.

⑦ 분홍색   초록색   파란색

빈 곳에 알맞은 모양은 무엇입니까? __초록색__ 풍선

⑧ 큰   작은

빈 곳에 알맞은 모양은 무엇입니까? __큰__ 주전자

P 60

확인학습

◆ 빈 곳에 알맞은 모양을 찾아 ○표 하세요.

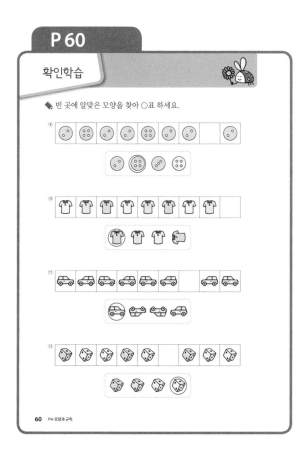

P62 ~ 63

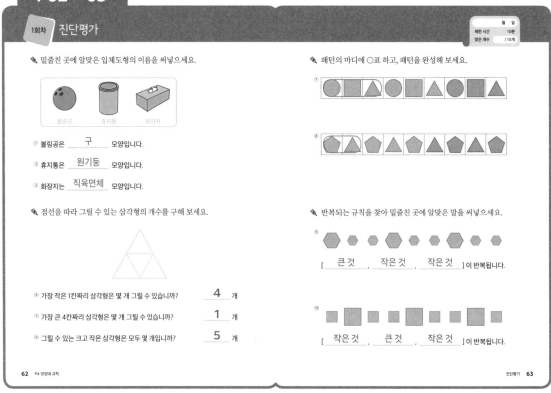

✎ 밑줄친 곳에 알맞은 입체도형의 이름을 써넣으세요.

① 볼링공은 ___구___ 모양입니다.

② 휴지통은 ___원기둥___ 모양입니다.

③ 화장지는 ___직육면체___ 모양입니다.

✎ 점선을 따라 그릴 수 있는 삼각형의 개수를 구해 보세요.

④ 가장 작은 1칸짜리 삼각형은 몇 개 그릴 수 있습니까? __4__ 개

⑤ 가장 큰 4칸짜리 삼각형은 몇 개 그릴 수 있습니까? __1__ 개

⑥ 그릴 수 있는 크고 작은 삼각형은 모두 몇 개입니까? __5__ 개

✎ 패턴의 마디에 ○표 하고, 패턴을 완성해 보세요.

⑦

⑧

✎ 반복되는 규칙을 찾아 밑줄친 곳에 알맞은 말을 써넣으세요.

⑨
[__큰 것__ , __작은 것__ , __작은 것__] 이 반복됩니다.

⑩
[__작은 것__ , __큰 것__ , __작은 것__] 이 반복됩니다.

P 64 ~ 65

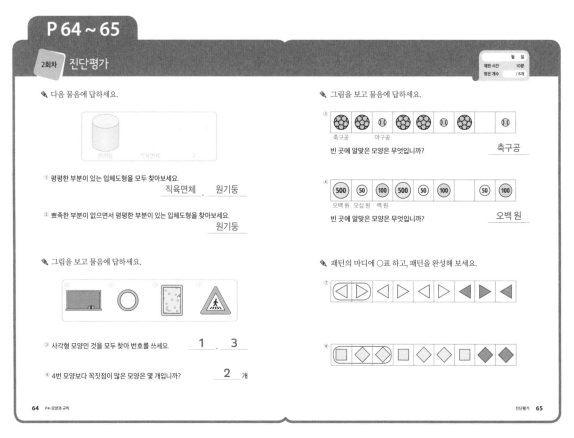

✎ 다음 물음에 답하세요.

① 평평한 부분이 있는 입체도형을 모두 찾아보세요.
___직육면체___ , ___원기둥___

② 뾰족한 부분이 없으면서 평평한 부분이 있는 입체도형을 찾아보세요.
___원기둥___

✎ 그림을 보고 물음에 답하세요.

③ 사각형 모양인 것을 모두 찾아 번호를 쓰세요. __1__ , __3__

④ 4번 모양보다 꼭짓점이 많은 모양은 몇 개입니까? __2__ 개

✎ 그림을 보고 물음에 답하세요.

⑤
축구공   야구공
빈 곳에 알맞은 모양은 무엇입니까?   ___축구공___

⑥
오백 원 오십 원 백 원
빈 곳에 알맞은 모양은 무엇입니까?   ___오백___ 원

✎ 패턴의 마디에 ○표 하고, 패턴을 완성해 보세요.

⑦

⑧

P 66 ~ 67

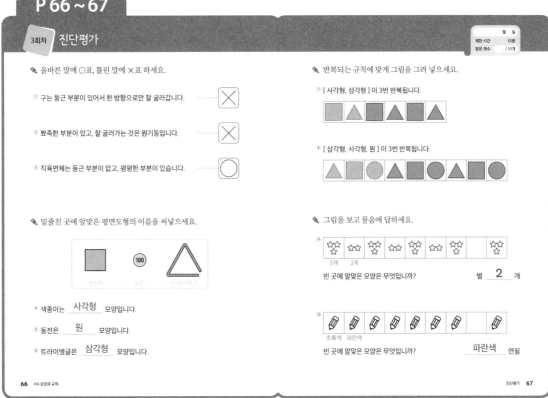

| 월 일 |
| 제한 시간 10분 |
| 맞은 개수 / 10개 |

✎ 올바른 말에 ○표, 틀린 말에 ×표 하세요.

① 구는 둥근 부분이 있어서 한 방향으로만 잘 굴러갑니다. ⊠

② 뾰족한 부분이 있고, 잘 굴러가는 것은 원기둥입니다. ⊠

③ 직육면체는 둥근 부분이 없고, 평평한 부분이 있습니다. ○

✎ 밑줄친 곳에 알맞은 평면도형의 이름을 써넣으세요.

④ 색종이는 __사각형__ 모양입니다.

⑤ 동전은 __원__ 모양입니다.

⑥ 트라이앵글은 __삼각형__ 모양입니다.

✎ 반복되는 규칙에 맞게 그림을 그려 넣으세요.

⑦ [사각형, 삼각형] 이 3번 반복됩니다.

⑧ [삼각형, 사각형, 원] 이 3번 반복됩니다.

✎ 그림을 보고 물음에 답하세요.

⑨ 빈 곳에 알맞은 모양은 무엇입니까? 별 __2__ 개

⑩ 빈 곳에 알맞은 모양은 무엇입니까? __파란색__ 연필

66 P4·모양과 규칙

진단평가 67

P 68 ~ 69

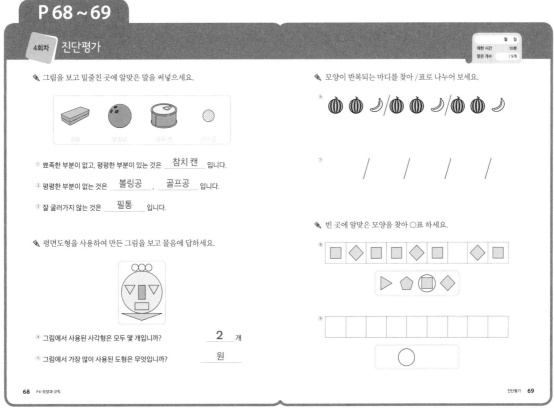

| 월 일 |
| 제한 시간 10분 |
| 맞은 개수 / 9개 |

✎ 그림을 보고 밑줄친 곳에 알맞은 말을 써넣으세요.

① 뾰족한 부분이 없고, 평평한 부분이 있는 것은 __참치 캔__ 입니다.

② 평평한 부분이 없는 것은 __볼링공__ , __골프공__ 입니다.

③ 잘 굴러가지 않는 것은 __필통__ 입니다.

✎ 평면도형을 사용하여 만든 그림을 보고 물음에 답하세요.

④ 그림에서 사용된 사각형은 모두 몇 개입니까? __2__ 개

⑤ 그림에서 가장 많이 사용된 도형은 무엇입니까? __원__

✎ 모양이 반복되는 마디를 찾아 /표로 나누어 보세요.

⑥

⑦ / / / /

✎ 빈 곳에 알맞은 모양을 찾아 ○표 하세요.

⑧

⑨ ○

68 P4·모양과 규칙

진단평가 69

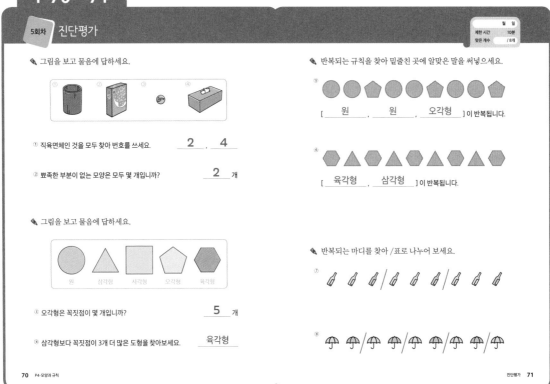

월 일
제한 시간 10분
맞은 개수 / 8개

그림을 보고 물음에 답하세요.

① 직육면체인 것을 모두 찾아 번호를 쓰세요. 2 , 4

② 뾰족한 부분이 없는 모양은 모두 몇 개입니까? 2 개

그림을 보고 물음에 답하세요.

원 삼각형 사각형 오각형 육각형

③ 오각형은 꼭짓점이 몇 개입니까? 5 개

④ 삼각형보다 꼭짓점이 3개 더 많은 도형을 찾아보세요. 육각형

반복되는 규칙을 찾아 밑줄친 곳에 알맞은 말을 써넣으세요.

⑤ [원 , 원 , 오각형] 이 반복됩니다.

⑥ [육각형 , 삼각형] 이 반복됩니다.

반복되는 마디를 찾아 /표로 나누어 보세요.

⑦

⑧

"

The essence of mathematics
is its freedom.

"

"수학의 본질은 그 자유로움에 있다."

Georg Cantor, 게오르크 칸토어